D1200442

À mon amie Nathalie.
À mon chat Félix-Minou et ses mystérieuses escapades nocturnes.

Delphine Grenier

Déjà

Didier Jeunesse

C'est la nuit.
Il n'y a pas de bruit.

Crri crri crri...
C'est Souris.

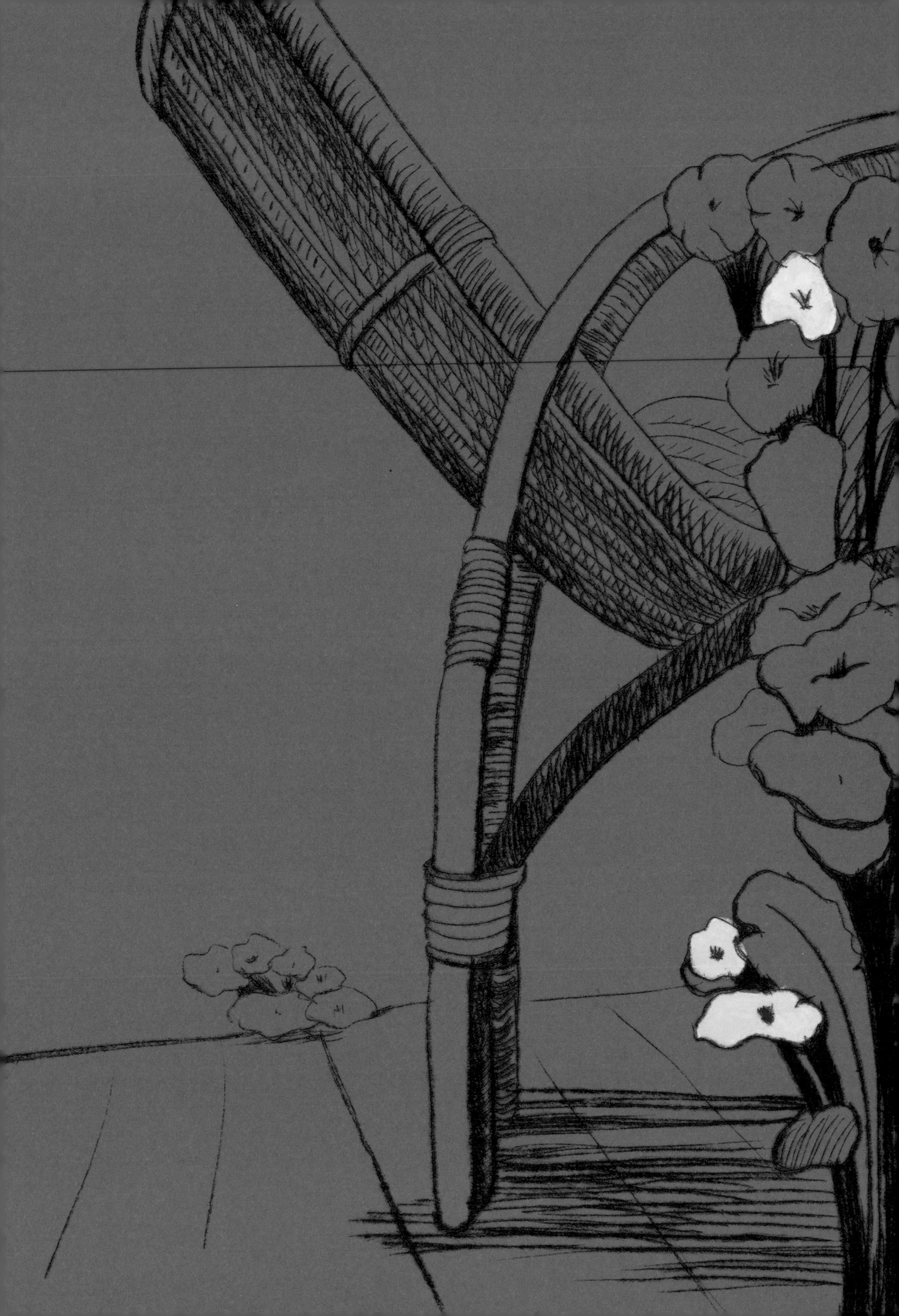

Près de la maison, tout est endormi.

– Réveille-toi,
petit chat ! dit Souris.
– Déjà ? dit le chat.

Et hop! D'un bond, les voilà partis...

Dans l'arbre, tout est immobile.

- Réveille-toi,
petit oiseau ! dit Souris.
- Déjà ? dit l'oiseau.

Et hop! D'un bond,
les voilà partis...

Au bord de la mare, tout sommeille.

– Réveille-toi,
petite grenouille ! dit Souris.
– Déjà ? dit la grenouille.

Et hop! D'un bond,
les voilà partis...

Sous les feuilles du platane, tout est calme.

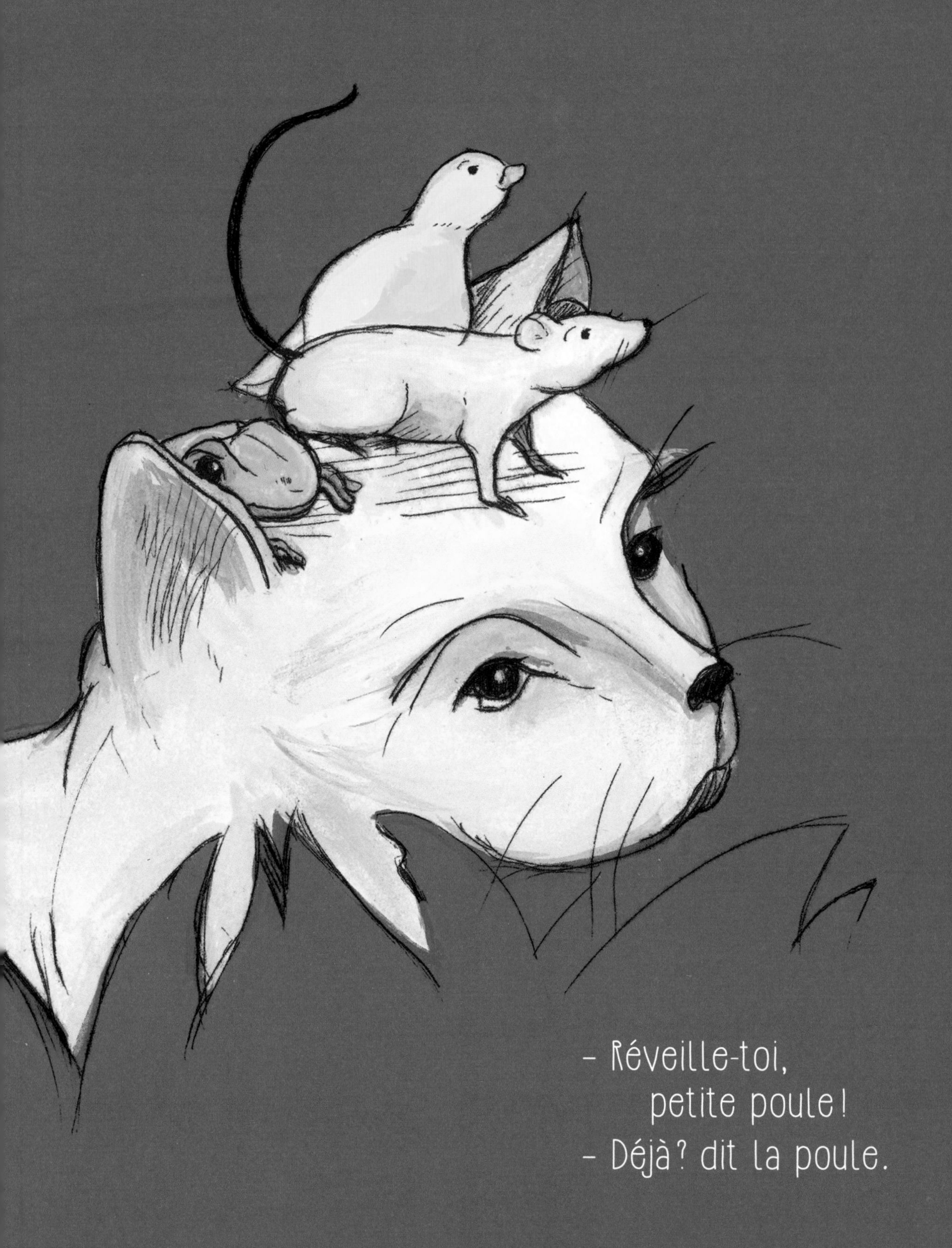

– Réveille-toi,
petite poule !

– Déjà ? dit la poule.

Et hop!
D'un bond,
les voilà partis...

Dans le fond du jardin, tout est tranquille.

– Réveille-toi,
petit lapin !
– Enfin ! dit le lapin.

Et hop! D'un bond,

Souris,
Chat,
Oiseau,
Grenouille,
Poule
et lapin
montent sur la colline.

– Ah! Le voilà enfin!
Quel beau matin!

Cet album a été créé dans le cadre de l'opération
« Des bébés et des livres » organisée par le Département de l'Hérault.

60-62, rue Saint-André-des-Arts, 75006 Paris
www.didier-jeunesse.com
Conception et réalisation graphiques : Frédérique Renoust
Photogravure : IGS-CP (16)
ISBN : 978-2-278-08180-6 • Dépôt légal : 8180/01
Loi n° 49-956 du 16 juillet 1949 sur les publications destinées à la jeunesse

Achevé d'imprimer en France en avril 2016 chez Pollina, L76007, imprimeur labellisé Imprim'Vert,
sur papier composé de fibres naturelles renouvelables, recyclables,
fabriquées à partir de bois issus de forêts gérées durablement.